Este libro pertenece a:

____

Mis padres todavía me quieren aunque se divorcian

Una historia y libro del proceso de curación para niños

Lois V. Nightingale, Ph.D.

Publicado por:
Nightingale Rose Publications
16960 East Bastanchury Road, Suite J
Yorba Linda, California 92886

Agradecimientos:

Me gustaría darles las gracias a los padres valientes que me han compartido sus dificultades y preocupaciones acerca de sus hijos durante mis conferencias y sesiones de terapia. Les agradezco mucho por sus percepciones acerca de la crianza durante el divorcio y estoy maravillada por los niños emocionalmente centrados y seguros de ellos mismos que actualmente les crían.

También quiero expresar mi gratitud a todos los que me animaron y me dieron comentario durante el proceso de creación de este libro. Me gustaría agradecerle a Dave Barton por su apoyo continuo en hacer las correcciones, y por siempre creer en mis proyectos. También me gustaría agradecerles a Baz y Bambi por su atención a los detalles y su flexibilidad con mi horario loco para que este libro pudiera ser. Siento un gran respeto por mi querida Anna, que ha cultivado sus raíces artísticas para sobrepasar todo horizonte previo.

Agradezco mucho a mis queridos más íntimos: Mike, Harry, Teddi, Barbara y Karen por su amor y apoyo firme.

Deseo expresar un reconocimiento especial a todos los padres sin custodia que se sacrifican diariamente para cumplir con los compromisos financieros y emocionales a los niños que les quieren, a pesar de la posible hostilidad hacia su otro padre. Tiene confianza de que los regalos que usted da a sus niños tienen un gran impacto en su futuro—y el futuro de nuestro mundo—y serán devueltos a ustedes muchas veces.

Número del catálogo de la Biblioteca de Congreso: TXu 1-984-292
ISBN-13: 978-1-889755-03-8

Publicado por Nightingale Rose Publications,
16960 E. Bastanchury Rd., Suite J, Yorba Linda, California, 92886.

Material gráfico por Anna Fimmel y Blanca Apodaca
Diseño del libro por Baz Here y Lois Nightingale
Fotografía de la autora por Baz Here

Resumen: Una historia de fantasía y libro de trabajo para educar,
apoyar y ayudar a los niños y familias que pasan por el divorcio.

Este libro se dedica
a los padres que luchan
con los complejos desafíos
de ayudar a los niños que les quieren
durante el divorcio.

CONTENIDO

Una nota importante para los padres, consejeros y terapeutas:

Sugerencias útiles para la lectura y el uso de este libro:

Padres

Se sugiere que los padres del niño(s), u otro adulto de apoyo lean este libro antes de presentarlo al niño. Muchos conceptos presentados en la historia requieren el apoyo de los adultos y una explicación más detallada. Para que un niño tiene el mayor beneficio de la historia y las actividades, se recomienda que un adulto lee a, o junto con, el niño.

Cuando se trata de información con fuertes emociones, los niños pueden tener un período de atención más corto que cuando miran la televisión o juegan un videojuego. Es importante que no se les precipiten a hacer la historia o las páginas del libro de trabajo. Es posible que el niño quisiera escuchar a la historia y hacer las actividades en secciones, más que todo en una sola sesión. Muchos padres prefieren leer toda la historia una vez (por lo general en partes, durante 2-3 días) y luego tener que sus hijos hagan las páginas del libro de trabajo durante una segunda lectura. Esto permite que un niño primero entienda que otros niños han pasado por una experiencia similar y han salido bien. Los niños pueden sentirse más libres para expresar sus ideas y sentimientos si saben todo saldrá bien al final.

También es importante dejar que el niño sepa que no hay respuestas "equivocadas" ni "correctas" y que no habrá juicios o críticas formuladas acerca de sus respuestas. Los padres pueden dejar al niño saber que son libres de hacer tantas o tan pocas de las páginas del libro de trabajo que quisieran. Colorear las páginas con dibujos primeras puede ser una buena introducción a tener a los niños escribir en el libro.

No todas las preguntas serán aplicables a todos los niños. Se anima a los padres enfatizar las áreas que son pertinentes a sus hijos, y brevemente leer o quitar por completo las áreas que no son relevantes a las circunstancias del niño. Si es particularmente difícil para un niño o una familia mantener las emociones del divorcio, la terapia puede ser ventajosa. Este libro no sustituye la terapia profesional para los niños.

Al principio, muchos niños pueden ser resistentes para leer sobre un tema tan difícil; otros estarán contentos de que sus preguntas serán contestadas. Si su hijo parece resistente a la lectura de este libro con usted, léalo en secciones durante estos momentos en que ya se sienten relajados y cómodos (antes de leer su libro regular a la hora de dormir, mientras están en la tina de baño, mientras que se frotaba la espalda antes de ir a dormir, mientras escucha música relajante, al aire libre en un parque, mientras están comiendo el postre, etc).

Si su hijo se aburre, se molesta o se agita durante la lectura, pregúntales cómo se sienten (algunos niños se sienten más cómodos "mostrar" cómo se sienten; como hacer un dibujo, hacer un breve sketch, demostrar con muñecas o golpear una almohada). Luego, si lo desean, déjales saber que está bien dejar el libro de distancia por un tiempo y volver más tarde.

Una gran parte de la reacción del niño a los cambios de una familia depende de la manera en que ve a sus padres reaccionar. Sea amable, paciente y amable con usted mismo. La mayoría de nosotros no exhibimos las habilidades de comunicación utilizados por los padres en esta historia fantasía, pero hicimos lo mejor que pudimos. Los niños responden muy positivamente cuando los padres son auto-indulgentes y demuestran cómo ser pacientes y cariñosos con uno mismo.

Si su hijo está demasiado joven para escribir en las páginas del libro de trabajo, él o ella puede dibujar imágenes o representaciones de respuestas. También, usted puede escribir las respuestas, dijo en voz alto para usted por su hijo.

Asegúrese de que su hijo tiene disponible las materiales de dibujar y escribir mientras hacen las actividades juntas. Si hay más de un niño en su familia, proporcione a cada uno con una hoja de papel y escriba la(s) pregunta(s) en la parte superior de cada página, o pida un libro diferente para cada niño escribir pensamientos privados (información de pedido se provee al final del libro).

Recuerde que este libro no está diseñado como un curso de maratón en el divorcio para los niños. Sea muy paciente y amable con un niño durante este proceso. La actitud de aceptación de usted, independientemente de las respuestas de su hijo o lo rápido en que él o ella trabaja por este libro, es muy importante para ayudar a lograr el mayor beneficio posible de esta actividad.

La historia y las actividades ofrecen la oportunidad de estar más cerca a su hijo. Hacer dos o tres páginas al día le dará a su hijo una mejor comprensión del proceso de divorcio, y deje que su hijo sepa que él o ella es importante para usted y que usted estará allí para ayudar a superar este momento difícil.

Los consejeros y terapeutas
Es posible que un consejero o terapeuta quiere utilizar este libro para facilitar el trabajo con los niños durante un divorcio o el mantenimiento de los sentimientos después de un divorcio es definitivo. Se sugiere que la historia y las actividades se presentaran en secciones a lo largo de 3 a 5 sesiones de terapia, por las razones expuestas anteriormente. La historia de fantasía y las páginas para colorear de los libros de trabajo pueden proporcionar un enfoque no amenazante para ayudar a los niños acceder a sus sentimientos acerca de la separación de sus padres. Los terapeutas también han visto que el trabajo con este libro puede ayudar a diagnosticar las áreas en que un niño puede tener dificultades con el divorcio.

Este libro también se presta bien al trabajo con los niños en grupos que sufren del divorcio de sus padres. Una vez más, es importante enfatizar que no hay respuestas "equivocadas", ni "correctas". La interacción y la cohesión del grupo se puede facilitar mediante el uso de las actividades del libro de trabajo y tener que los hijos compartan sus propias ideas (si se sienten cómodos) con el resto del grupo. Los proyectos de arte de grupo, historias propias, poemas y obras de teatro para niños pueden añadir nuevas dimensiones a las ideas presentadas aquí y ayudar a los niños a desarrollar un sentido de comprensión y el empoderamiento.

Agradecerle a usted mismo por ser importante en la vida de un niño.

Como fue la vida una vez

Una hermosa sirena del océano y un fuerte caballero de un castillo de la montaña se conocieron en una playa soleada. Se enamoraron y querían casarse y tener una familia.

El caballero se mudó de su gran castillo seguro para estar cerca del mar. La sirena cambió las perlas blancas de su abuela a una bruja del mar para darle piernas para que pudiera caminar sobre la tierra.

Ellos pusieron sus tesoros juntos y creyeron lo mejor el uno al otro. Finalmente la sirena y el caballero pudieron hacer promesas especiales el uno al otro por casarse. Querían niños en su familia y trabajaron juntos para hacer una casa especial.

♥ El caballero y la sirena se casaron porque se enamoraron.

♥ ¿Por qué crees que la gente se casa?

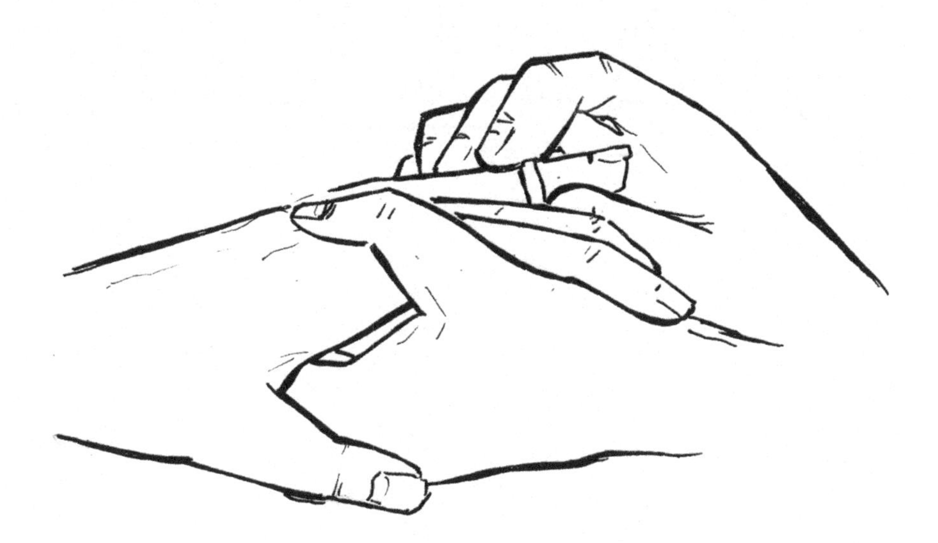

Después de que se casaron construyeron una casa especial en la playa con los caballos para montar. Tuvieron cuatro hijos maravillosos: Constancia, Newton, Arletta, y Espartaco. ¡Tanto la sirena y el caballero eran muy felices de tener a cada uno de sus hijos!

♥ ¿Sabes la historia de tu nacimiento o una historia acerca de ti cuando eras un bebé pequeño? (Si no, pregunte a uno de tus padres o abuelos decirte una.)

♥ Haz un dibujo de algo que sabes acerca de ti cuando eras un bebé.

Los niños estaban un poco como cada de sus padres. Podían respirar bajo el agua y podían montar a caballo. Eran inteligentes y divertidos al igual que sus padres.

La sirena y el caballero les querían mucho a sus hijos y estaban muy orgullosos de cada uno de ellos.

♥ Los niños podían respirar bajo el agua como su mamá.

♥ ¿En qué manera te pareces a tu mamá?

♥ Los niños podían montar a caballo como su papá.

♥ ¿En qué manera te pareces a tu papá?

Luego llegaron los problemas

Un día, algunas nubes muy oscuras se acercaron a su casa junto al mar. La oscuridad se hizo tan espesa que las flores y los árboles frutales murieron. Los padres se molestaron mucho por la oscuridad.

Por la noche, los niños escucharon a su papá decir que echaba de menos las montañas.

Su madre dijo que echaba de menos a vivir en el agua. ¡Cada uno culpaba al otro por lo que se estaba extrañando!

♥ Los niños oyeron a sus padres peleando.

♥ Si has oído a tus padres peleando, ¿qué hiciste?

♥ ¿Alguna vez alguien ha tenido que venir y ayudarles de dejar de pelear (el policía, tus vecinos o familiares)?

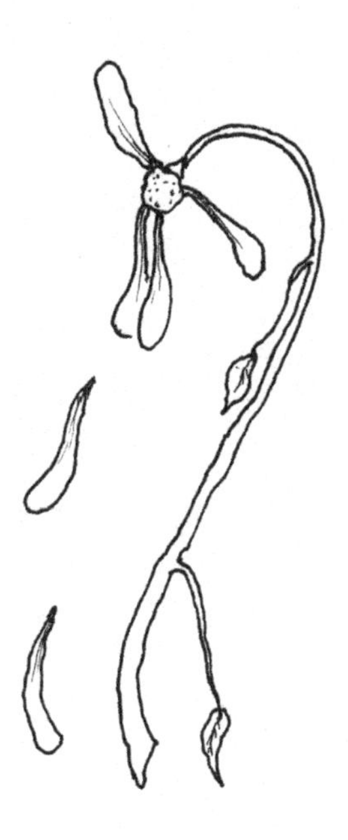

Las voces de enojo se hicieron más fuertes en la noche.

Todo parecía molestar a los dos y se quejó uno del otro. A veces estaban muy, muy tranquilos. Eso fue aún peor.

♥ Los niños oyeron a sus padres peleando. No les gustaba cuando sus padres no hablaban entre ellos.

♥ ¿Cómo te sentiste cuando tus padres no se llevaban bien?

Un día Constancia le preguntó a su mamá si estaba enojada con ella.

Su mamá se sentó y le dio un gran abrazo a Constancia.

"Las cosas son difíciles en este momento. Pero yo no estoy enojada contigo. Yo sé que no he sido un montón de diversión", dijo su mamá.

"¿Qué puedo hacer yo"? preguntó Constancia.

"Gracias por preguntar", dijo su mamá.

"Pero no hay nada que puedes hacer para arreglar los problemas de los adultos. Recuerda que siempre te querré".

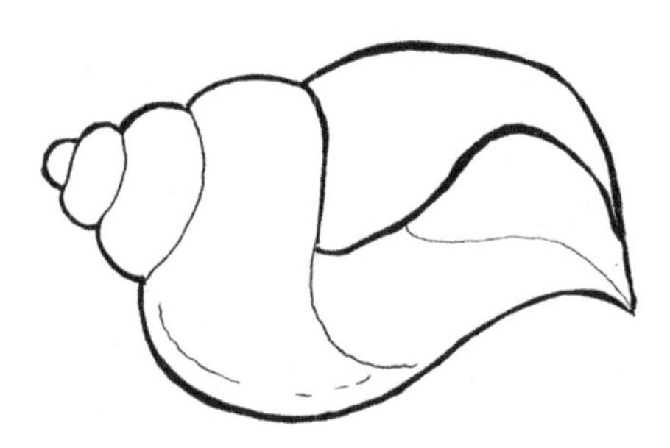

Constancia se alegró de que su mamá no estaba enojada con ella. Estaba triste que no había nada que pudiera hacer para hacer sus padres felices de nuevo. Así que se fue a dar un paseo y se dio de alimento a las gaviotas.

♥ Constancia pensó que su mamá estaba enojada con ella.

♥ Hable de un momento en que pensaste que sus padres estaban peleando por algo que hiciste.

♥ ¿Les preguntaste a tus padres de lo que estaban peleando?

♥ ¿Qué te dijeron?

Algunos días después, Espartaco estaba fingiendo para luchar contra un dragón que escupe fuego. Su papá entró justo a tiempo para ver la gran lámpara en la sala de estar caer al suelo. La espada de Espartaco le hizo volar.
¡CRASH! ¡PLOF! ¡PUM!

Espartaco miró hacia arriba. ¡La cara de su papá estuvo roja!

"¡Ve a tu habitación ahora"! gritó su papá. Usualmente, su papá se portó divertido y chistoso, pero ahora él regañó a Espartaco hacia todo el camino a su dormitorio.

♥ El papá de Espartaco lo castigó por gritarle a él y enviarlo a su habitación.

♥ ¿Quién te castigó cuando tus padres estaban juntos?

♥ ¿Qué te pasa cuando te metes en problemas ahora?

♥ ¿Cómo te sientes de eso?

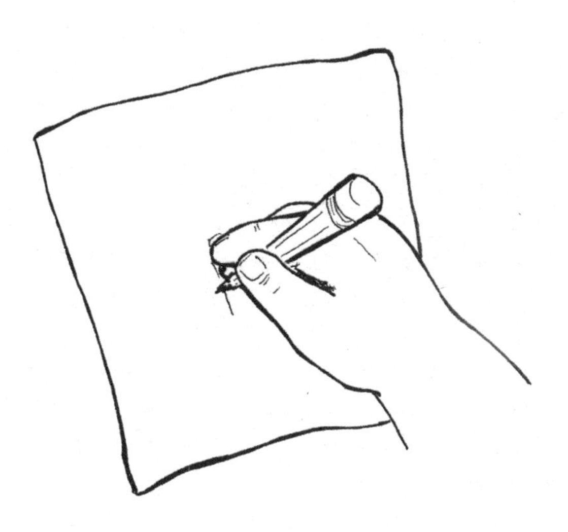

Espartaco esperaba en su habitación. Podía oír altas voces acusatorias. Luego era tranquilo. Oyó un golpe en la puerta y su padre entró.

"Lo siento, mi hijo", dijo el caballero. "Tu sabes la regla de jugar con la espada en la casa. Pero eso todavía no es excusa para gritar."

"¡Ya no estás divertido! Nunca juegas conmigo", gritó Espartaco.

Su papá se sentó en el suelo y jaló a su hijo cerca.

"Me gustaría sentir como jugar más, también", dijo su papá. "Muy pronto sentiré mejor. Pero quiero saber como te sientes. Es importante para mí. Puede ser que no siempre me gusta lo que me dices, pero está bien. Todavía quiero saber cómo te sientes".

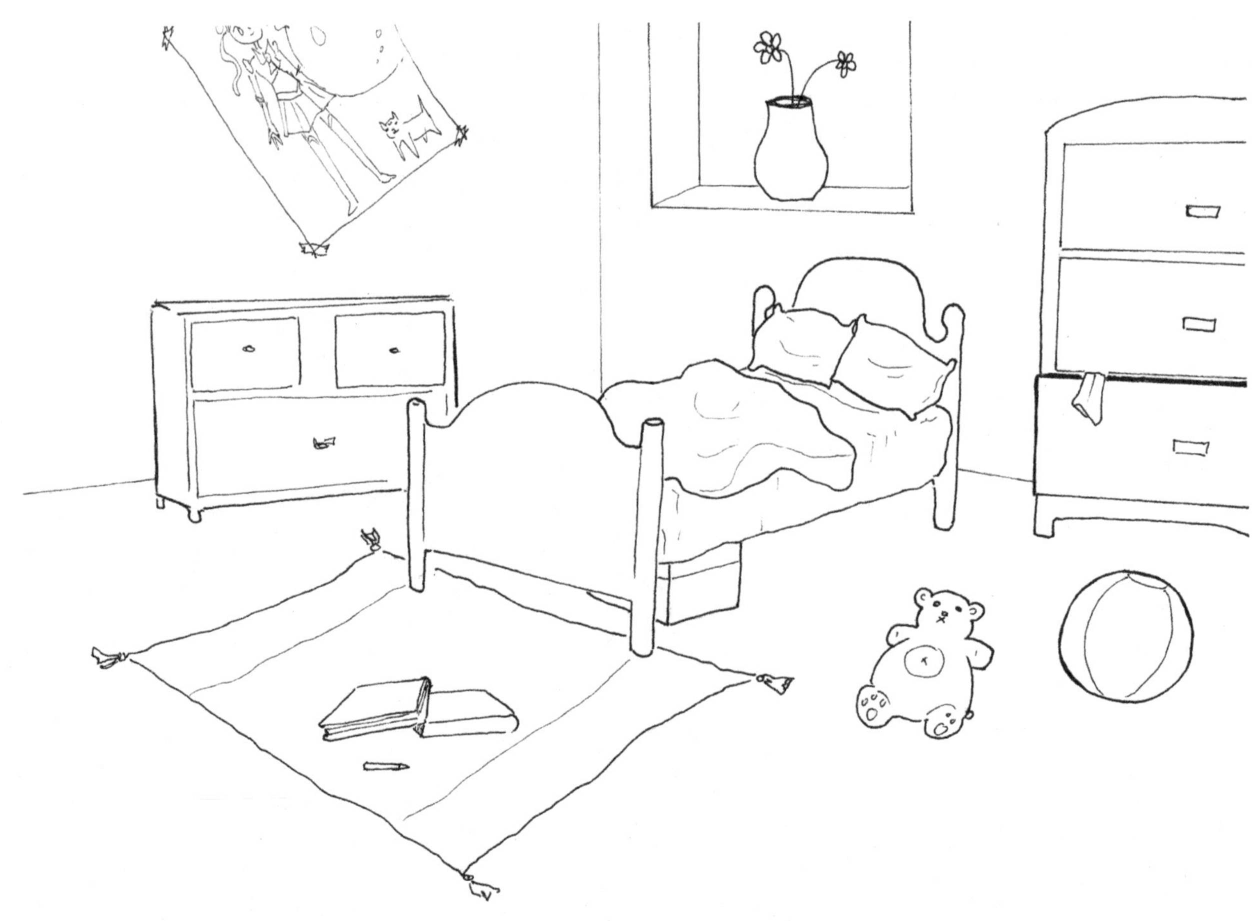

♥ El papá de Espartaco dijo que quería escuchar cómo su hijo se sentía incluso si sus sentimientos no siempre fueron fáciles para él oír.

♥ Haz círculo alrededor de los sentimientos que has sentido.

Sentimientos cómodos

entretenido, gran, confiado, animado, servicial, satisfecho, enamorado, contento, aceptado, entusiasta, esperanzado, irresistible, noble, tierno, trabajador, orgulloso, impresionado, amable, cariñoso, inspirado, competente, emocionado, agradable, agradecido, capaz, relajado, bueno, feliz, pensativo, extática, creativo, aliviado, optimista, alegre, encantado, apreciado, expectante, aceptado, calmado, triunfante, compasivo, determinada, equilibrado, alegre, amado, eficiente, feliz, orgulloso, cómodo, simpático, sorprendido, cuidado, inocente, graciosa, risueña, respetado, concentrada, determina, cómico

Sentimientos en medio

ambivalente, travieso, apático, somnoliento, dormido, nostálgico, tentado, indeciso, connivente, tímida, conmocionado, presumido, engreído, intrigas, indeciso, pasivo, escéptico, ejercido, indiferente, apologética, interesada, perplejo

Sentimientos incómodos

confundido, dejado fuera, deprimido, incapaz, insatisfecho, tímida, con náuseas, inadecuado, argumentativo, una falta de respeto, derrotado, desanimado, decepcionado, rechazado, miserable, sin amor, nervioso, desconfiado, resentido, enfurecido, torpe, agonizante, acusado, exceso de trabajo, avergonzado, amenazado, disgustado, obstinado, abrumado, despectivo, sin esperanza, vulnerable, infeliz, agravado, insignificante, retirada, preocupado, inseguro, inútil, impotente, miedo, frustrado, difícil, ansioso, negativo, cansado, hostil, envidioso, culpable, irritable, triste, solo, aburrido, enojado, enfermo, herido, tonto, paranoico, celoso, injusta, exasperado, competitivo, horrorizado, histérico, presionado, nostálgico, dejado, sin valor, olvidado, miserable, agotado, agresivo, lamentable, malhumorado, codicioso, infeliz, desesperado, asustado, enojado, solitario ignorado, atrapado, nervioso, decepcionado

Newton oyó los gritos. Su estómago se cayó enfermo. Él subió el volumen en su video juego y se sentó un poco más a la pantalla.

♥ Cuando Newton se sintió triste y asustado dolía el estómago.

♥ Cuando no te sientes bien, ¿tienes dolor de estómago? ¿Dolor de cabeza?

♥ ¿Cómo se siente tu cuerpo cuándo te sientes enojado?

♥ ¿O feliz?

♥ ¿O triste?

♥ ¿O miedo?

♥ ¿O entusiasmado?

♥ ¿O querido?

Cuando Arletta oyó todo el ruido, se fue a su lugar especial (un rincón en su habitación) e hizo un dibujo de un duende feo. Ella usó un lápiz de color verde brillante para el duende y uno negro para las nubes oscuras en el cielo.

♥ Arletta tiene un lugar especial donde le gusta ir a estar solo.

♥ ¿Tienes un lugar especial dónde te gusta ir a pensar? (Una casa del árbol, dormitorio, patio trasero, escondite secreto, o _______________)

Mamá y papá dicen a los niños

Sus padres pasaron menos tiempo juntos. A veces uno salió y luego volvió a casa más tarde. Estaban tristes y enojados la mayor parte del tiempo.

♥ La sirena y el caballero pelearon más y más, y a veces uno de ellos salía por un tiempo.

♥ Si tus padres vivían separados antes de que se divorciaron, ¿cómo te sentiste? (Puedes utilizar las listas de palabras de sentimientos en la página 27.)

Una noche, después de cenar, el caballero y la sirena llamaron a todos los niños a la sala de estar. Estaba oscuro como la noche.

Todos se sentaron. Constancia le ató los cordones perfectamente. Newton fingió leer un libro. Espartaco se deslizó del sofá y se acostó en el suelo con los pies sobre el sofá. Arletta se movió para que los pies de Espartaco no molestaron a Gatito el Gato.

"Su mamá y yo tenemos algo que decirles", dijo su papá. "Esto no es fácil para nosotros".

Newton levantó la vista de su teléfono e incluso Espartaco miró al revés a su papá.

"Su papá y yo hemos decidido que no podemos vivir juntos nunca más", dijo su mamá.

"¿Divorciar"? Espartaco espetó.

"¡Spart! ¡Silencio"! dijo Constancia.

"Así se ve", dijo su papá. "¿Tienen preguntas? Vamos a responder a ellas lo mejor que podemos. No hemos descubierto todo lo que fuera todavía. Pero pregúntalas".

♥ Los dos padres juntos dijeron a los niños que se divorciaron. A veces, sólo un padre les dice a los niños o, a veces otra persona lo hace.

♥ ¿Quién te dijo que tus padres se divorciaran?

♥ ¿Te sentiste ---

- Triste
- Preocupado
- Ignorado
- Feliz
- Nervioso
- Culpable
- Enojado
- Confundido
- Avergonzado
- Miedo
- Seguro
- Asustado
- Atrapado
- Curioso
- Aprensivo
- Incierto
- Solitario
- Dañado
- Decepcionado

(Puedes mirar de nuevo a la página 26 para más palabras de sentimientos.)

"¿Ya no se aman más"? Arletta apenas pudo decir las palabras. "¿No nos quieren más"?

"Su padre y yo no podemos vivir juntos nunca más", respondió su mamá. "Pero no importa lo que sentimos el uno del otro. Siempre les queremos a ustedes".

“¿No somos una familia”? preguntó Constancia.

“Bueno”, dijo su mamá, “Ahora tendrán dos familias. Siempre serán nuestros hijos y siempre cuidarémos de ustedes”.

“Si tienen miedo o están confundidos, hay otras personas con quien pueden hablar”, dijo el caballero.

♥ Los niños tenían muchas personas con quien podían hablar.

♥ ¿Con quién prefieres hablar cuando te sientes mal?

__ un amigo
__ un maestro
__ un abuelo
__ tu niñera
__ una mascota
__ tu diario

__ tu mamá o papá
__ un consejero
__ una tía
__ un primo
__ consejero escolar

__ tu mascota
__ un entrenador
__ un tío
__ un amigo de tus padres
__ un animal de peluche

__un grupo de apoyo para niños de divorcio

"¿Dónde vamos a vivir"?

"¿Quién nos va a cuidar"?

"¿Tendremos que mudarnos"?

"¿Saben abuelita y abuelito"?

"¿Por qué quieren el divorcio"?

Constancia comenzó a llorar.

"Coni, todos estamos tristes. Está bien llorar", dijo la sirena. "Vas a pasar tiempo conmigo y tiempo con tu papá. Siempre estarás con alguien que te quiere mucho".

Constancia no podía imaginar vivir separda de cualquier de sus padres. ¿Cómo se sienten sus padres cuando ella abrazó y besó el otro como adiós? ¿Alguno de sus padres quieren que ella tome partido contra el otro? Se sentía confundida.

♥ Constancia se sentía asustada y confundida. No podía imaginar vivir en dos casas diferentes.

♥ La mayoría de los niños se sienten confundidos si sus padres se divorcian. ¿Qué es lo que tú no entendías?

♥ Está bien querer a los dos padres.

♥ ¿Has sentido alguna vez extraño para mostrar el amor a un padre en frente del otro?

Newton fingía leer un libro, otra vez.

“No tienes ninguna pregunta, Newt”? preguntó su papá.

“El papá de mi amigo Jake es marinero y él se fue y nunca regresó”, dijo Newton, detrás del libro.

“Sé que algunos padres se sienten tan culpables o tan tristes que no llaman o ven a sus hijos porque es demasiado difícil para ellos. Pero yo siempre estaré aquí para ti. Me puedes llamar en cualquier momento que estás en la casa de tu mamá, y le puedes llamar a ella en cualquier momento que estás conmigo. Te queremos mucho”.

♥ Newton se alegró de que su papá todavía pasaría tiempo con él, pero sabía que lo extrañaría a veces.

♥ ¿Cómo te puedes sentir junto con el padre con quien no estés?

- __Escribir en un diario
- __Guardar tarea y arte escolar para ellos
- __Escribir una historia para ellos
- __Llamarles
- __Hacer un álbum de recortes
- __Mantenga una foto de ellos en tu habitación
- __Darles una foto de ti mismo
- __Escribir una canción para ellos
- __Hacer un collage de fotos de revistas
- __Escribirle una historia
- __Hacer una canción para ellos
- __Hacerles una grabación de tu voz
- __Dejarles saber de un evento escolar que viene
- __Dibujarles algo
- __Empezar un blog privado
- __Escribir poemas
- __Recoger bromas que les gustarían
- __Enviarles mensajes de voz o text
- __Skype/Face Time
- __Deja un correo de voz
- __Correo electrónico
- __Enviar una foto de tí mismo
- __Hacer un vídeo
- __Jugar un juego con ellos por el Internet
- __Planear algo que hacer la próxima vez que están juntos

“¿Puedo traer a Gatito el Gato si nos mudamos”? preguntó Arletta.

“Ella puede vivir con tu papá”, dijo su mamá. “Puedes tener un nuevo bagre o tal vez un delfín en mi casa”.

“¿Qué pasa si ustedes no pueden ponerse acuerdos sobre cuándo vamos a estar con cada uno de ustedes”? preguntó Arletta.

“Hay personas que nos pueden ayudar a decidir”, dijo el papá. “Si no estamos de acuerdo, entonces un juez escuchará a cada uno de nosotros. El juez tomará la última decisión y cada uno tiene que obedecer esas reglas”.

♥ Los padres tienen que tomar decisiones importantes y es posible que necesitarían ayuda en tomarlas con respeto a:

Cuánto tiempo los niños pasan con cada padre.

Las escuelas y médicos de los niños.

Cuánto dinero que un padre provee al otro para ayudar a pagar por las cosas que necesitan los niños.

Cuánto dinero que un padre provee al otro para ayudarle hasta que gane suficiente dinero por sí mismo.

♥ ¿Preocupaste de que tus padres iban a pelear por algunas cosas?

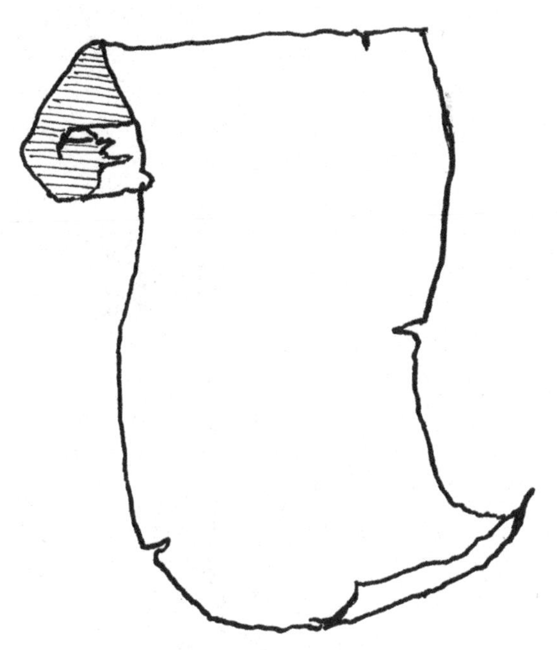

Los niños estaban todos contentos de que la "charla" había terminado.

Constancia se subió al regazo de su mamá.

Espartaco agarró su pelota y guante de béisbol y salió afuera.

Newton fue a su habitación para jugar videojuegos.

Arletta llevó al Gatito el Gato afuera y se sentó en el jardín antes de que llegara demasiado oscuro.

♥ ¿Quién ayudó a tus padres con su divorcio?

__ Consejero o terapeuta (una persona calificada para ayudar a las personas hablar de sus sentimientos)

__ Mediador (una persona que ayuda a los padres dividir sus pertenencias, dinero y tiempo con los niños)

__ Abogado (una persona que da su consejo a los padres, y puede hablar con el juez para el padre)

__ Juez (la persona que hace la última decisión acerca de cómo se dividen las cosas. El juez es la persona que dice que el divorcio es definitivo, y los dos padres tienen el derecho de casarse de nuevo)

♥ ¿El juez ya ha escrito las reglas y firmó un papel diciendo que el divorcio es definitivo?

Las reacciones de los niños

Espartaco

Espartaco pisó fuerte por la acera. *¡No es justo!* pensó. *¡Nadie me preguntó si yo quería que mamá y papá que se divorciaran!*

♥ Haz un dibujo de cómo te sentiste cuando tus padres te dijeron que se estaban divorciando.

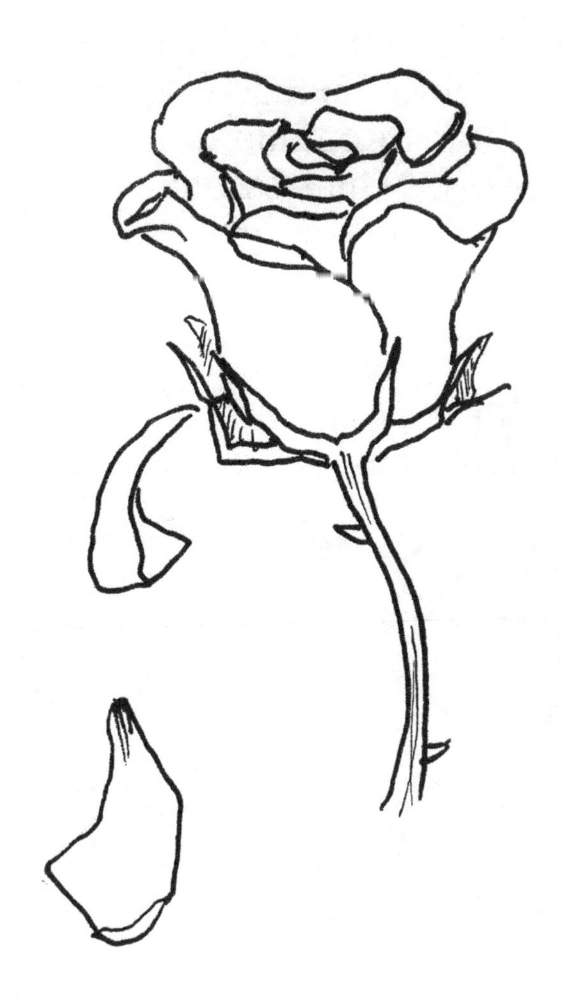

Espartaco entró por la puerta. Lanzó su pelota a la puerta y gritó, "¡Eres malo! ¡Ya no me quieres"!

Sorprendió a su papá. "¡Ven aquí, hijo"! dijo con voz severa. "¿Qué te pasa? Suenas muy enojado".

"¡Yo estoy enojado"! gritó Espartaco, "Estoy enojado contigo y con mamá y con todo el mundo".

Su papá se sentó en el suelo y le dio unas palmaditas al lado de él. Espartaco se quedó allí, con los brazos cruzados, mirando a la pared, con lágrimas cayendo por sus mejillas.

"Hijo", dijo el caballero, "Está bien sentirse enojado y decepcionado. Yo siempre te quiero, incluso cuando estás enojado y herido. Pero no está bien para mostrar tu enfado en una manera que pudiera dañar a personas o cosas. ¿Cuál es otra manera de liberarte del enfado?"

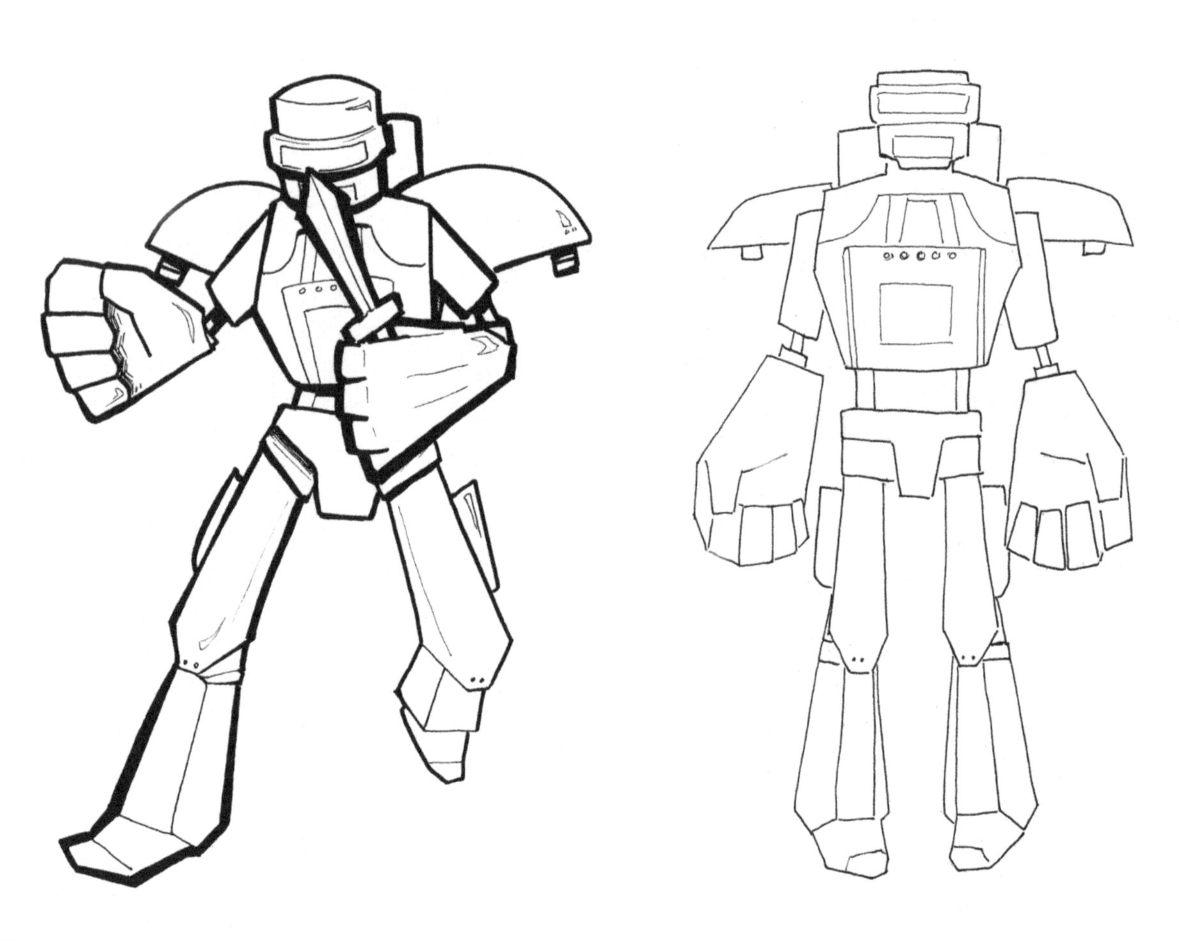

♥ Espartaco estaba muy enojado. Algunas de las maneras en que mostró su enfado estaban bien, pero otras maneras no.

♥ ¿Cuáles cosas te gustan hacer para ayudar a liberarte de tus sentimientos del enfado?

__ Hablar con alguien
__ Escribir una historia
__ Golpear a un saco
__ Tiros de baloncesto
__ Gritar en una almohada
__ Nadar
__ Ir a dar un paseo
__ Jugar a la pelota
__ Llorar
__ Pídale a alguien abrazarte
__ Saltar sobre una cama elástica
__ Pegar a arcilla
__ Hacer un dibujo
__ Escribir sentimientos de enojo en el papel y luego pisar por ella, hacer agujeros en ella, o tirarla por el lavabo.
__ Correr
__ Bailar
__ Sentarte solo
__ Escuchar a la música
__ Golpear a un peluche
__ Jugar videojuegos
__ Hacer algo para comer
__ Tocar un instrumento musical
__ Mirar una película
__ Escribir un sentimiento de enojo en una piedra y lanzarla a un lago, río o mar.
__ Decir palabras enojadas con tu puerta cerrada

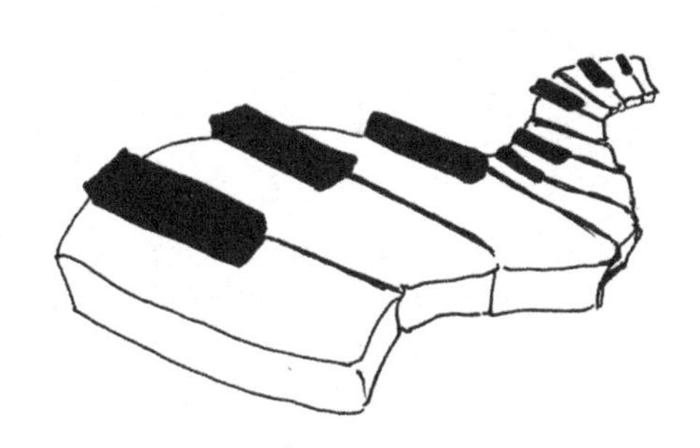

"¿Te gustaría golpear el saco de boxeo conmigo"? dijo el caballero.

"Si quieres", Esparetaco dijo mientras se dirigían hacía afuera.

"¿Tú sabes que tu mamá y yo no se estamos divorciando por algo que has hecho, verdad"?

"Sí", murmuró.

"Y no hay nada que tú puedes hacer para hacer qué nos quedamos juntos tampoco".

Espartaco miró sorprendido. "Sí, lo sé", dijo.

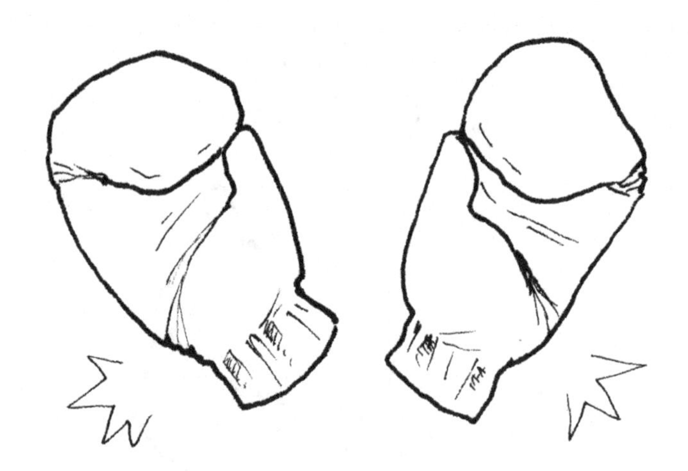

♥ Espartaco se alegró cuando su papá le ayudó a pensar en cosas que podía hacer cuando estaba enojado.

♥ ¿Cuáles son algunas de las cosas que te gusta hacer con tu papá?

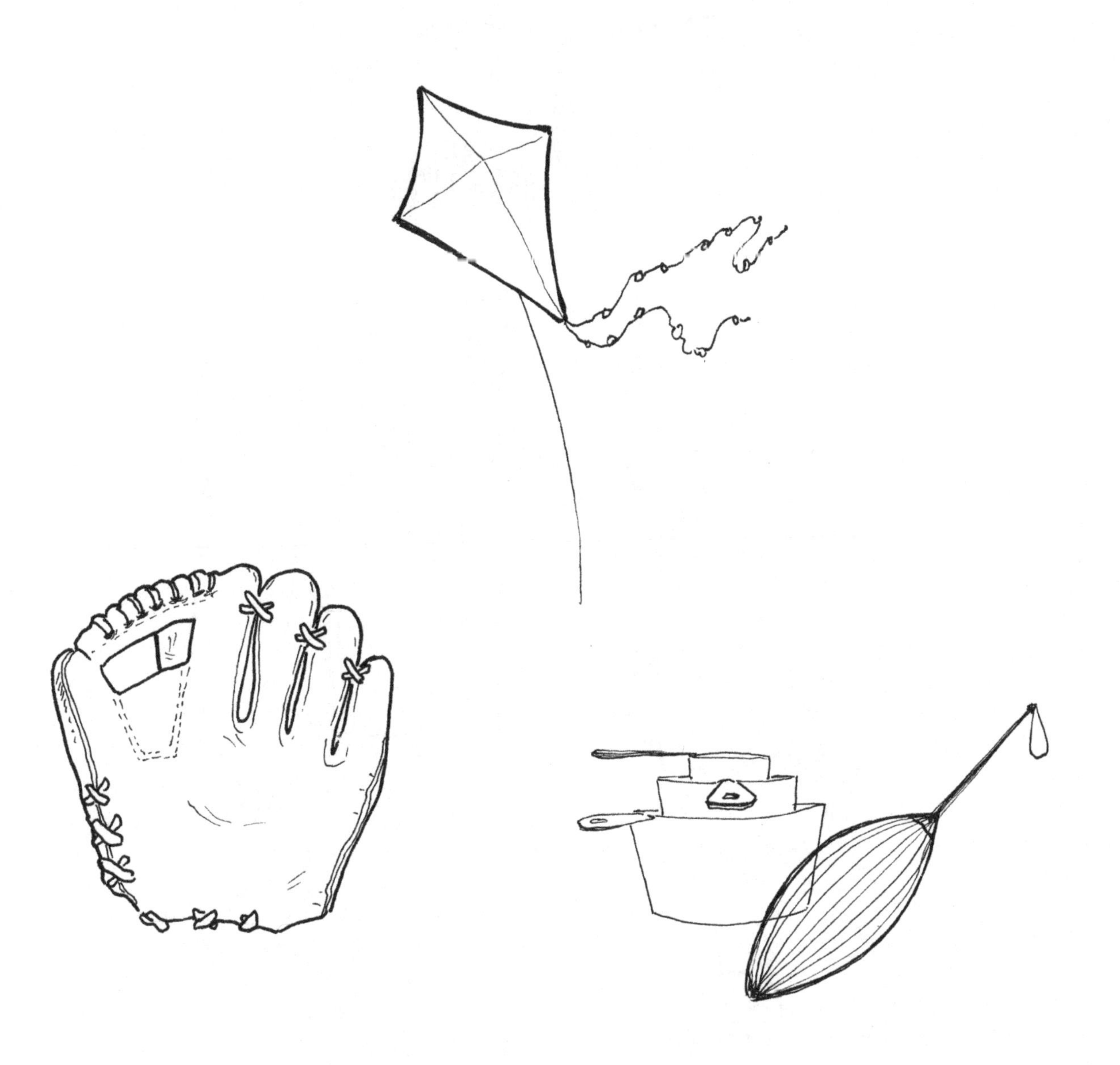

“Muchos niños esperan que pueden hacer que sus padres se quedan juntos”, respondió su papá. “Algunos niños por portarse bien, otros por portarse mal y hacer problemas”.

“Constancia se finge portarse bien. ¡Puaj!”, dijo Espartaco.

“Te agradecería si buscaras cosas divertidas para mantenerte ocupado y no pelearas con tu hermano y tus hermanas. Por favor, sea paciente con todos nosotros”.

Pero Espartaco tenía sus guantes atados y gruñío y atacó al saco de boxeo. Su papá se unió hacerlo también.

♥ Espartaco le dijo a su padre que estaba enojado con su hermana.

♥ ¿A veces era difícil llevarte bien con un hermano o hermana cuando tus padres se divorciaron?

♥ ¿Qué hizo tu hermano o hermana qué te molestó MUCHO?

Constancia

"Las familias se deben quedar juntos, no importa lo que pasa, ¿no"? Constancia preguntó a su mamá. "¡Nunca me voy a divorciar cuando yo sea grande"!

"Las cosas no siempre salen como planeamos", dijo su mamá. "Tu papá y yo siempre hemos hecho lo mejor que pudimos en ese momento. Nunca hemos sido padres antes", dijo con una sonrisa.

♥ Aunque Constancia pensó que era demasiada grande como para sentarse en el regazo de su madre por lo general, cuando ella se sintió triste le gustaba hablar con ella.

♥ ¿Qué hace tu mamá para hacerte sentir especial y querido?

Constancia se sentía triste por el cambio de su familia. A veces, cuando se sentía triste fue a hablar con su consejera, la Dra. Huggs. Dra. Huggs era amable y siempre estaba dispuesta a escuchar a lo que tenía que decir Constancia. Ayudó a ella no preocuparse tanto.

♥ Constancia encontró a muchas cosas que le ayudó a sentir mejor.

♥ Hay cosas que puedes hacer para sentirse mejor:

- Hablar con un amigo
- Escribir una historia
- Contar lentamente hasta diez
- Respirar profundamente
- Jugar con la arcilla
- Ir a las jaulas de bateo
- Pintar una pintura
- Ir a dar un paseo con alguien
- Ir a nadar (con supervisión)
- Jugar al aire libre
- Jugar con una mascota
- Escuchar a la música
- Hacer un baile
- Jugar deportes
- Mirar a animales
- Rollerblade
- Orar a Dios
- Hablar con tu Ángel de la Guarda
- Hacer algo para los próximos días festivos
- Jugar un video juego o computadora
- Aprender un nuevo deporte
- Ir a patinar o montar tu bicicleta
- Crear o hacer algo
- Leer
- Llamar o hacer correo electrónico a alguien que te quiere
- Hacer una tarjeta para alguien
- Visitar con un amigo
- Organizar tu habitación
- Crear una búsqueda del tesoro
- Pintar del dedo
- Escribir en la acera con tiza
- Plantar algunas semillas
- Pedir a alguien que te lleve a un parque y alimentar a los patos
- Encontrar los animales en las nubes
- Hacer un sándwich especial
- Mirar tu película favorita
- Abrazar

Un día su madre se quejó a Constancia sobre su padre. “Si sólo él haría —” ella comenzó, pero Constancia la interrumpió.

“Mamá, si tienes algo malo que decir sobre papá, favor de decirlo a él o a otro adulto. No quiero oír cosas malas sobre ninguno de ustedes”.

“Tienes razón”, dijo su madre. “Sé que fue difícil para ti decirme eso. Incluso cuando tengo malos sentimientos acerca de todo esto, yo todavía te quiero”.

♥ Fue difícil para Constancia decirle a su mamá que no quería oír cosas malas acerca de su papá.

♥ ¿Alguno de tus padres te dijo cosas malas sobre el otro?

♥ ¿Qué es lo que dijiste o hiciste?

♥ ¿Qué te gustaría hacer?

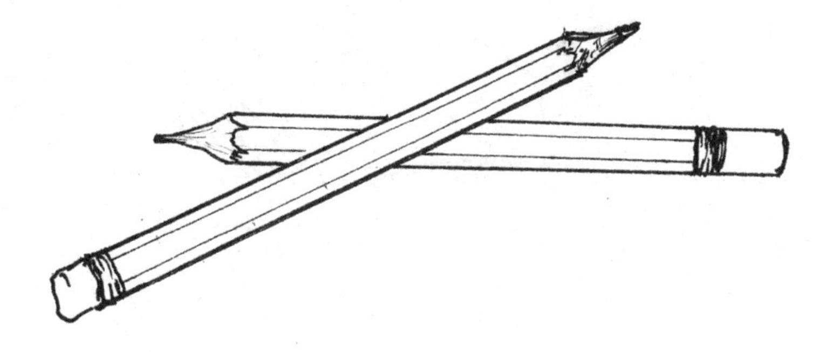

Newton

La casa era diferente ahora. Estaba oscura y triste. Acabaron de empacar las cajas.

Newton pasó mucho tiempo mirando a las cosas en su teléfono o computadora. Jugó video juegos e hizo bromas con su amiga Cassidy. No hablaron sobre el divorcio. Newton le gustó eso.

♥ Newton encontró maneras de sentirse mejor.

♥ ¿Tuviste que mudarte?

♥ ¿Cuáles de tus padres salió de la casa?

♥ ¿Pasas tiempo con cada uno de tus padres?

♥ ¿Cómo te sientes de eso?

La maestra de Newton, la Sra. Juárez, preocupaba por él. Él entregó la tarea tarde y miró por la ventana durante toda la clase.

Él no podía entender por qué sus padres se divorcían. Le sorprendió que alguien se divorciara por las peleas. A él le gustaba pelear con sus amigos, pero no se enojaron entre ellos. ¡Ellos pensaban que era divertido!

♥ Newton quería saber "¿por qué?" durante muchas partes del divorcio de sus padres.

♥ ¿De qué quieres saber "¿por qué"?

“Es difícil cuando no entendemos algo”, dijo su maestra.

“Si trabajo muy duro”, dijo Newton “lo debo entender”.

“Bueno, algunas cosas así son”, su maestra sonrió. “Al igual que aprender las matemáticas. Pero otras cosas no son así. A veces tenemos que descubrir las maneras en que podemos sentir mejor, y no trabajar tan duro en averiguar POR QUÉ”.

“Pero siempre me gusta averiguar POR QUÉ”, dijo Newton.

Su maestra se rio, “Lo sé. Esa es una de las cosas que te hace tan especial. Pero a veces, nunca entendemos completamente POR QUÉ”.

Ella le dio un gran abrazo que le hizo sentir mejor, aunque él no sabía exactamente por qué.

♥ Newton estaba confundido y frustrado porque no tenía todas las respuestas que quería. También se sintió consolado por su maestra, aunque todavía se sentía confundido.

♥ A veces la gente se siente dos sentimientos diferentes a la vez.

♥ Está bien sentir dos sentimientos diferentes al mismo tiempo.

Como:

Sorprendido y triste
Esperanzado y decepcionado
Enojado y aliviado
Amoroso y furioso

♥ ¿Cuáles dos sentimientos diferentes has sentido?

________________y________________
________________y________________
________________y________________

Arletta

Arletta hizo dibujos de toda su familia en un castillo en la montaña con una piscina para su mamá. Hizo dibujos de toda la familia bajo el mar viviendo en una burbuja gigante para su papá. Ella dibujó el sol saliendo de detrás de las nubes en la playa donde viven ahora.

♥ Arletta quería que las cosas volvieran a ser como antes. La mayoría de los niños quieren que su familia se reúna de nuevo, aunque entienden que no va a pasar.

♥ ¿Te esperaste que tus padres se reúnaran?

♥ ¿Con quién hablaste de eso?

Ella trajo los dibujos para dar a su mamá.

“Mira lo que hice para ti”, dijo ella.

La sirena sonrió. “Esto es difícil para ti, ¿no”? preguntó.

Arletta se encogió los hombros. No quería que su madre se sintiera mal por ella.

“Quiero que todo el mundo sea feliz ahorita”, dijo en voz baja.

♥ Arletta no le gustaba ver a sus padres infelices.

♥ ¿Has visto a tus padres llorar?

♥ ¿Cómo te sentías cuando lloraban?

♥ ¿Sabes que llorar a veces puede hacer que los adultos se sienten mejores también?

"¿Recuerdas la oruga", preguntó su mamá, "que capturaste la primavera pasada"?

"Él era muy borrosa y verde", sonrió Arletta. "Y se movía como un acordeón".

"Hizo un capullo, ¿recuerdas"?

"Sí, lo recuerdo" dijo.

"¿Y querías abrirlo y dejarlo salir"?

Arletta asintió.

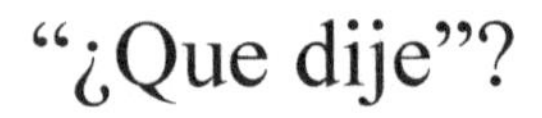

"¿Que dije"?

"Si se daba prisa", Arletta frunció el ceño, "que nunca podría ser una mariposa".

"¿Y por fin salió"?

"¡Fue hermosa"! dijo Arletta.

"Bueno, a veces la tristeza es así", dijo su madre. "No podemos darse prisa o hacerlo mejor tan rápido como nos gustaría".

"¿Entonces, algún día tú y papá van a ser felices de nuevo"? preguntó ella con esperanza.

"Así planeamos", dijo su mamá, y le dio un abrazo.

♥ La mamá de Arletta le habló de la tristeza por contarle una historia.

♥ ¿Cuáles cosas hace tu mamá para hacerte sentir querido?

"Tenemos la esperanza de que todos vamos a sentir más felices".

"¿Qué pasa si no es así"? dijo Arletta.

"Es cierto que algunos padres deciden quedarse enojados", su mamá dijo.

"¿Y ustedes"? preguntó Arletta.

"Eso depende de mí", dijo su mamá. "Tengo amigos bajo el mar, los libros y un consejero para ayudarme a elegir a dejar de estar enojada y sentir feliz de nuevo."

"Mi tía dice que las adicciones pueden hacer que la gente sea infeliz", dijo Arletta. "¿Qué es una adicción"?

"Cuando alguien no puede dejar de hacer algo que le hace sentir a él y a las personas cercanas de él triste", dijo su mamá. "Las adicciones pueden ser al alcohol, las drogas u otras cosas que les hacen daño."

♥ Cuando alguien no puede dejar de hacer algo que les hace daño, es posible que tiene la enfermedad de la adicción.

♥ Si conoces a alguien con una adicción, haz un dibujo de cómo crees que se parezca, o cómo te hace sentir:

"¿Papá va a dejar de estar tan enojado"? preguntó Arletta.

"Depende de cada uno de nosotros", dijo la sirena. "Todos tenemos que ser amables con nosotros mismos".

"¿Al igual que cuando me enojé con Paul para empujarme por accidente en fila, porque me sentía mal por no recordar poner las tapas sobre los marcadores de Sarnia por accidente"?

"¡Exactamente!", dijo su mamá. "Cuando estamos molestados con nosotros mismos nos enojamos más fácilmente con las otras personas."

♥ Arletta se puso muy enojada por una pequeña cosa porque ella ya estaba molestada por algo más.

♥ ¿Qué cosas te enojan?

♥ Haz un dibujo de un momento en que te pusiste muy enojado porque ya te sentiste mal por algo más.

“Yo hago cosas para sentirme mejor”, dijo Arletta.

“Sí lo haces”, dijo su mamá. “Te he visto dibujando y escribiendo historias y jugando con Gatito el Gato y haciendo obras con tus amigos. ¡Eres muy creativa”!

♥ Haz un dibujo de ti mismo haciendo algo que te hace sentir mejor.

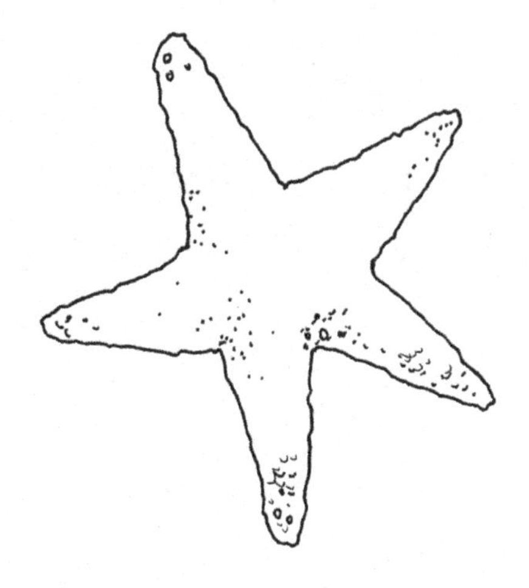

Después del divorcio

Espartaco

Al principio se sentía extraña de vivir en lugares nuevos, pero hace poco tiempo los niños les gustaban sus nuevos hogares, especialmente Espartaco.

En la casa de su papá exploró el bosque con su espada de juguete. Fingió que era un caballero también, salvando a los que le necesitaban.

También le gustaba tener cosas nuevas, como una linterna brillante para brillar en el bosque por la noche.

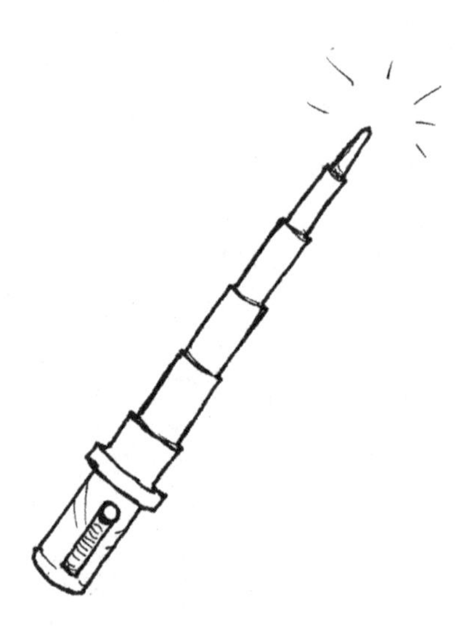

♥ Espartaco le gustaba tener algunas cosas nuevas en la casa de su papá.

♥ ¿Qué cosas especiales tienes en la casa de tu papá?

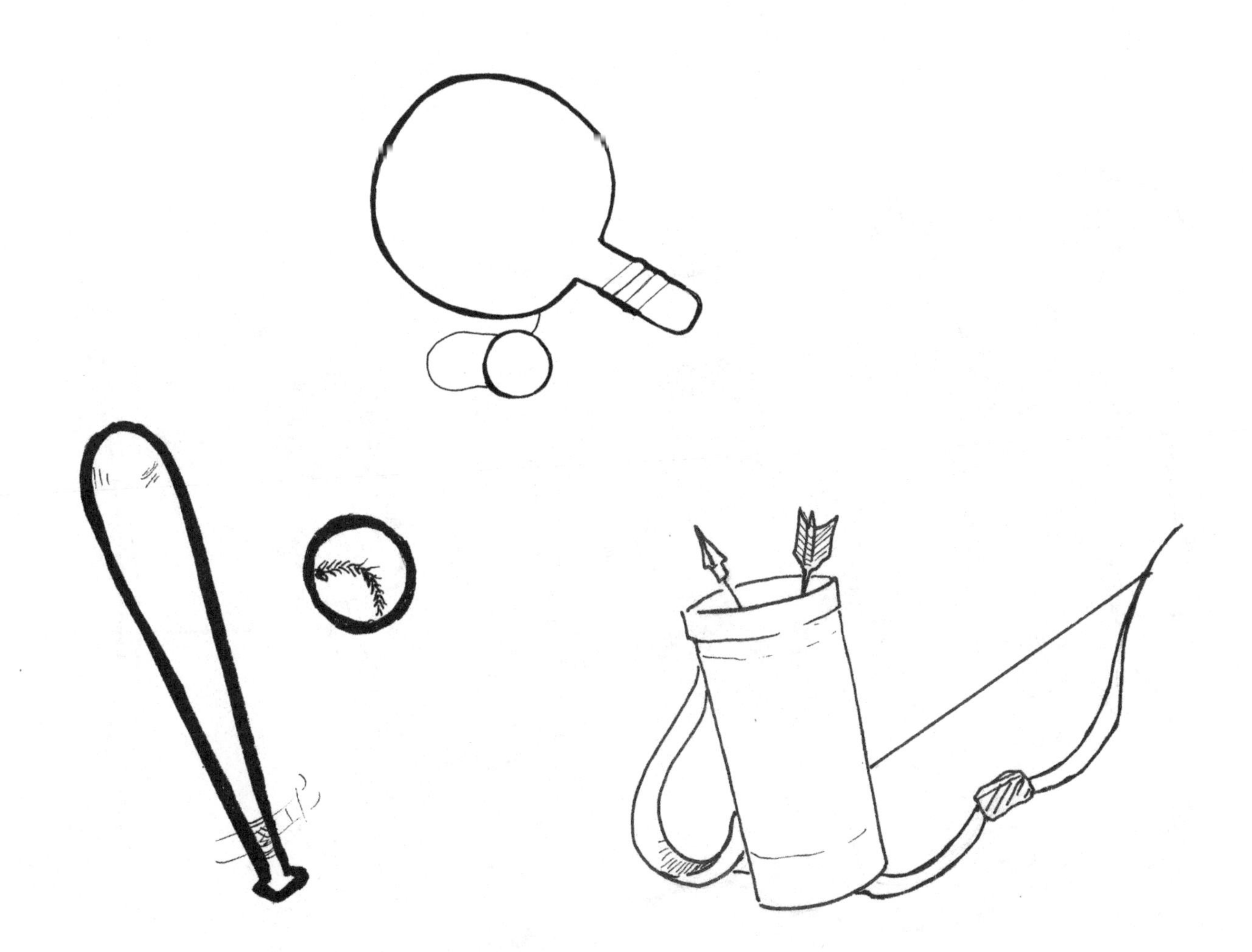

En la casa de su mamá jugaba waterpolo y utilizó su reflector para explorar las cuevas submarinas.

"¡Pero papá me dejaría ir solo"! Espartaco discutió con su mamá.

"Nuestras reglas son diferentes", dijo su mamá.

♥ Espartaco se acostumbró a tener reglas diferentes en cada casa, como aprendió a levantar la mano en la escuela pero no en casa.

♥ ¿Cuáles reglas son diferentes en las casas de tus padres?

♥ ¿Cómo te sientes acerca de tener reglas diferentes?

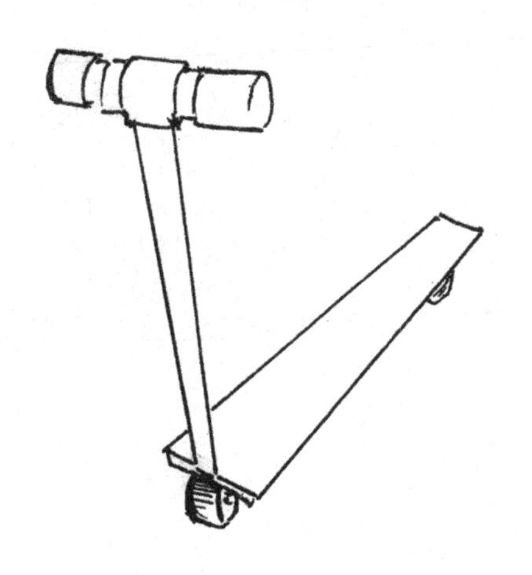

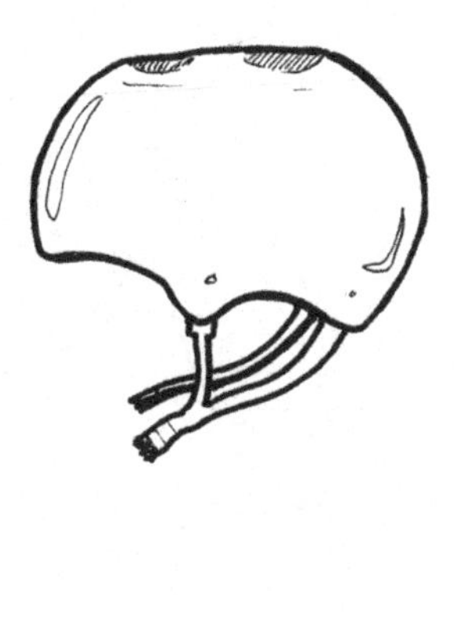

Espartaco intentó asustar a la nueva novia de su papá con una rana. No pensó que le gustaría mucho a ella.

"¡Un príncipe encantado"! dijo, y la besó en la nariz.

Espartaco se rio. ¡Él pensó que ella estaba cómica!

Pero ella nunca trató de mandarle. Solo su papá le dijo que hacer. Esa fue una de las reglas de su papá que le gustó.

♥ Espartaco no hubiera gustado si la nueva amiga de su papá había tratado de decirle qué hacer.

♥ Si has conocido a uno de los amigos de tus padres ¿cómo te sentiste?

♥ ¿Qué hiciste?

Constancia

Constancia le extrañaba a su otra casa, pero a ella le gustaba pasar más tiempo con sus abuelos.

"Abuelita", dijo Constancia, "mi mamá quiere que yo diga cosas a mi papá, pero yo no quiero".

"Eso tiene que ser difícil", dijo la abuela.

"¡Sí, y los dos me quejan del otro"! dijo Constancia. "Los dos dicen que el otro es culpable por la falta de dinero".

"Esos son los problemas de los adultos, no los tuyos", dijo abuelita. "Siempre puedes hablar conmigo cuando te sientes mal".

♥ Constancia no le gustaba oír a sus padres pelear por el dinero. A veces ella estaba decepcionada que no podía tener algo que quería.

♥ ¿Cómo gastan el dinero de manera diferente ahora, tus padres?

♥ ¿Cómo te sientes de eso?

♥ Si tus padres se pelean por el dinero todavía, ¿cómo te sientes de eso?

"¿Cuáles tareas domésticas han escogidos para hacer esta semana"? La sirena preguntó a los niños durante la reunión de la familia el domingo.

"¡Estoy cansada de hacer todo"! dijo Constancia.

"Constancia", dijo su mamá, "todos tenemos que ayudar y me voy a llenar esta gráfica con los premios que ustedes quisieran."

"Pero Espartaco siempre se olvida", se quejó Newton.

"Por eso la mantengo yo, y les recordaré y les doy tus estrellas", dijo su mamá.

"Quiero quedarme despierto hasta tarde", dijo Newton.

"Quiero ir a la pista de patinaje", dijo Espartaco.

"Quiero ir a navegar con sólo tú y yo", dijo Constancia.

"Y yo quiero ir al museo de arte contigo", dijo Arletta.

"Espere, espere una a la vez," la sirena se rio.

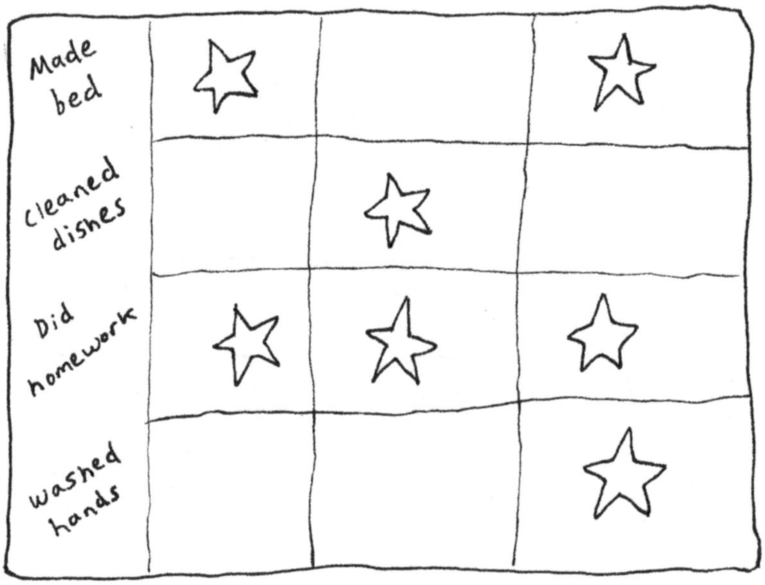

♥ Constancia estaba feliz que su mamá hizo que todos ayudaron.

♥ ¿Cuáles problemas has discutido con cada de tus padres?

♥ ¿Cómo resolviste el problema?

♥ ¿Hay problemas que todavía te gustarían discutir?

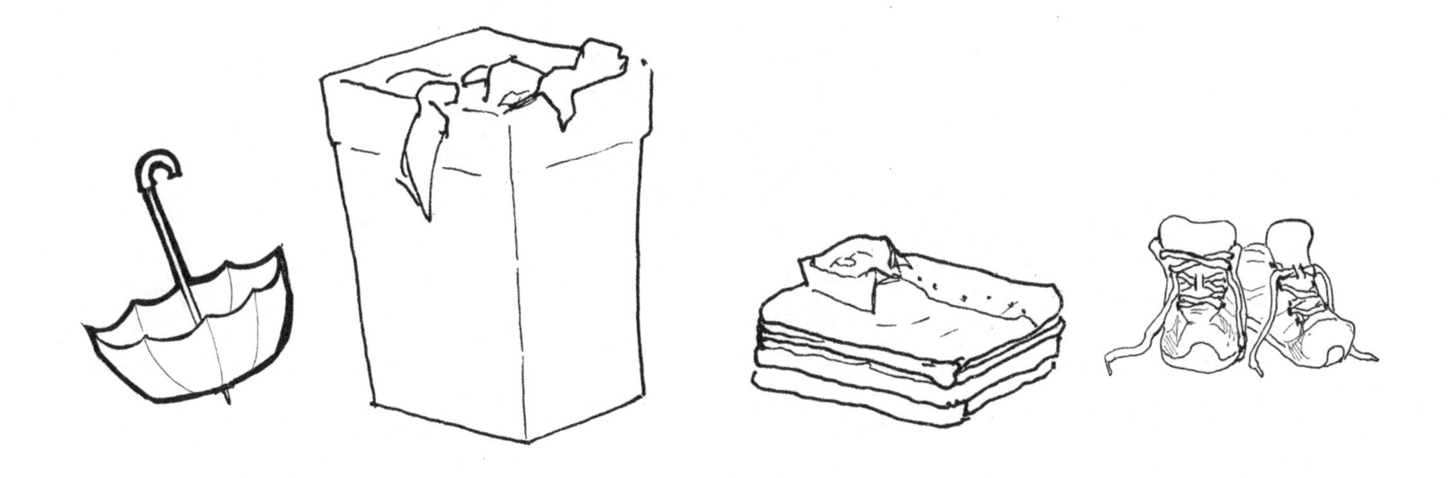

"¡No puedes llevar tu consola de juegos a la casa de mamá"! gritó Constancia a Newton.

Newton le hizo los ojos blancos.

"Constancia", el caballero dijo, "tú no eres el padre de Newton. Ese es mi trabajo. Y ustedes pueden guardar cosas especiales en cada casa".

"Pero él piensa ---".

El caballero hizo un redoble de tambor con los dedos y dijo, "Entonces Constancia, ¿qué es lo que quieres guardar en mi casa"?

Constancia bajó su mochila y la abrió. Ella sacó su libro de origami y se deslizó de nuevo en su estantería.

♥ Constancia tenía cosas especiales en la casa de cada padre.

♥ Haz un dibujo de algo especial que tienes en la casa de tu mamá.

♥ Haz un dibujo de algo especial que tienes en la casa de tu papá.

Constancia leyó su mensaje de text. "¿Vas ir a la prática de voleibol"? preguntó Vanessa.

"Sí", Constancia tocó su teléfono. "Te veo allí". Ella hizo una cara sonriente.

Estaba feliz que había unido al equipo y conoció a su nueva amiga.

♥ ¿De qué grupos perteneces?

__ Escuela
__ Niños exploradores
__ Banda
__ Deportes ___________
__ Gimnasia
__ Clase de computadoras
__ Clase de cocinar
__ Teatro
__ Club de Niños
__ Coro
__ Ecuestre / equitación
__ El baile
__ Artes marciales
__ Templo
__ Grupo de voluntarios
__ Clase de arte

____

♥ Haz un dibujo de tu grupo.

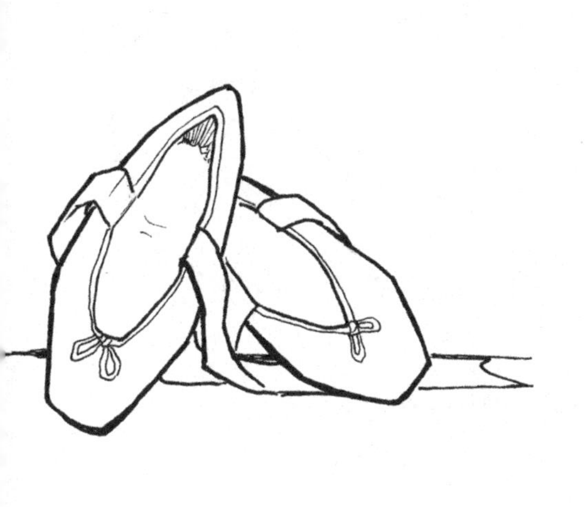

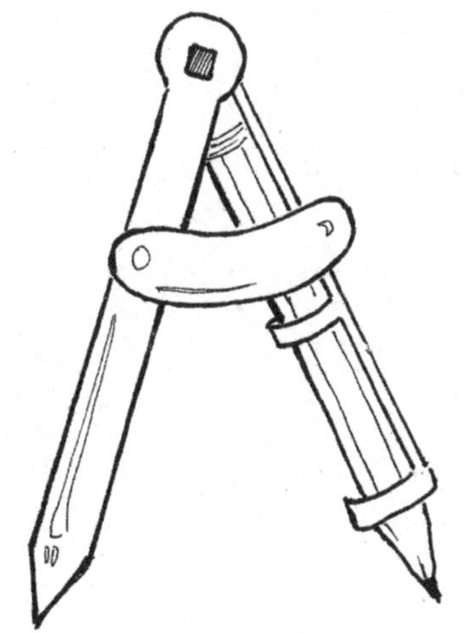

"¡Siempre tienes algo que hacer"! Constancia se quejó a su papá.

El caballero dejó de mezclar la salsa para la pizza que hizo para la cena y se arrodilló. "¿Qué te gustaría hacer conmigo"? preguntó.

Constancia se encogió de hombros.

"Bueno, la semana pasada fuiste a buscar un tesoro enterrado en un barco viejo con tu mamá. ¿Quieres ir a montar y buscar los huevos de dragones conmigo"?

"¿Huevos de dragones? ¿Sólo nosotros"? Constancia hizo un baile feliz.

Su papá se echó a reír. "Sí sólo nosotros".

♥ Constancia le encantaba pasar tiempo a solas con cada uno de sus padres cuando ellos no tenían que hacer mandados o tareas domésticas.
♥ ¿Qué te gusta hacer con cada padre?
♥ ¿Qué es algo que no cuesta mucho dinero que te gustaría hacer con uno de tus padres?

- jugar un videojuego
- mirar una película o caricaturas
- leer un libro
- ir camping o ir de pesca
- dibujar con tiza en la acera
- hacer burbujas del soplo
- escuchar historias de cuando tu padre era un niño
- colorear
- hacer una obra
- columpiar en el parque
- jugar captura
- ir a mirar los trenes o aviones
- crear canciones o chistes
- aprender a dibujar con un libro o un sitio de internet
- ir a caminar
- hacer un jardín
- conseguir un libro de la biblioteca
- visitar un museo o galería de arte
- cocinar o hornear
- nadar
- encontrar constelaciones de estrellas en la noche
- recoger flores silvestres
- ir a una excursión
- ir a observar las aves
- ir a un parque de patinaje
- pintar grandes carteles
- hacer collages de fotos de revistas
- aprender a contar en otro idioma
- jugar un juego de adivinanzas
- organizar tu habitación con envases
- jugar a las cartas
- encontrar animales en las nubes
- hacer una receta y darle tu nombre
- hacer un picnic al aire libre o bajo la mesa
- montar tu bicicleta o ir a patinar
- decir adivinanzas
- crear un juego
- cantar o tocar la percusión junto con un CD
- buscar apps que te podría ayudar con la tarea
- jugar al escondite
- aprender trucos de magia
- visitar a parientes
- ayudar voluntaria
- construir algo con los juguetes de conexión
- hacer tu propia caligrafía
- lavar el auto
- jugar con una mascota
- planear una vacación
- encontrar nuevos juegos para niños per el internet
- hacer un video para un abuelo
- ______________________________

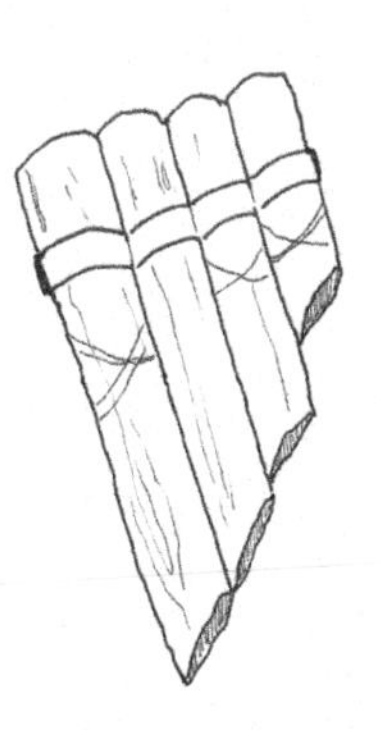

Newton

Newton fue el primero a memorizar sus dos nuevas direcciones. Él tenía un estante especial para sus juegos en cada casa.

"¿Tienes este juego en la casa de tu papá"? preguntó su mamá, mientras ella le dio otro regalo.

Newton se sintió mal. "Mamá, me gusta estar contigo porque te quiero, no porque me compras cosas".

"¿No te gusta"? preguntó su mamá.

"Sí, ¡gracias"! dijo Newton. "Sólo quería que supieras que me gustaría estar con cada uno de ustedes, no importa lo que pase". Miró a la caja del juego y sonrió. "Y hay una nueva versión que sale el próximo mes, para que lo sepas". Hizo una sonrisa falsa.

La sirena se rio. Newton, también.
"¿Quieres jugar"? preguntó Newton.

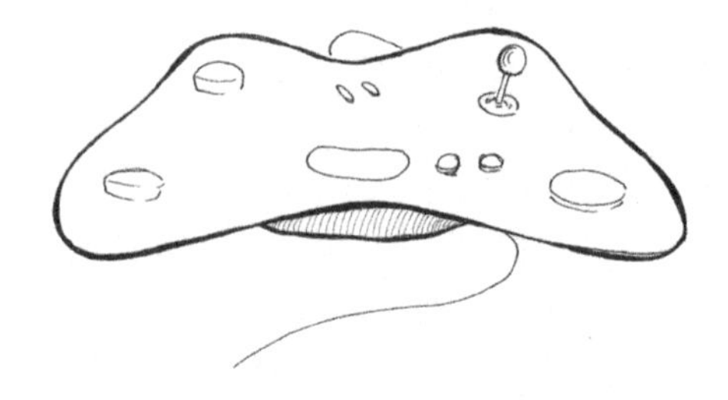

♥ Fue difícil para Newton para hablar con su mamá sobre la compra de tantos regalos.

♥ ¿Has sentido cómo uno de tus padres ha intentado hacerte feliz por darte regalos?

♥ Si es así, ¿cómo te sentiste?

Newton usó apps y sitios de la computadora para hacer su tarea más divertida. Le gustaban las buenas calificaciones en su tarea. También le gustaba ayudar a sus amigos a entender la tarea.

Sin embargo, le gustaba pasar tiempo solo, y disfrutó los momentos de tranquilidad en las dos casas.

♥ Newton no tuvo que cambiar de escuela, pero a veces los niños tienen que hacerlo.
♥ ¿Tuviste que cambiar de escuela?
♥ Si tuviste, ¿fue difícil o fácil de hacer nuevos amigos?

♥ ¿Qué nuevos amigos conociste?

♥ ¿Fue fácil o difícil de adaptarse en el nuevo salón de clase?

♥ ¿Tu nueva clase fue más avanzado, o detrás de tu otra clase?
♥ ¿Cómo te sentiste de eso?

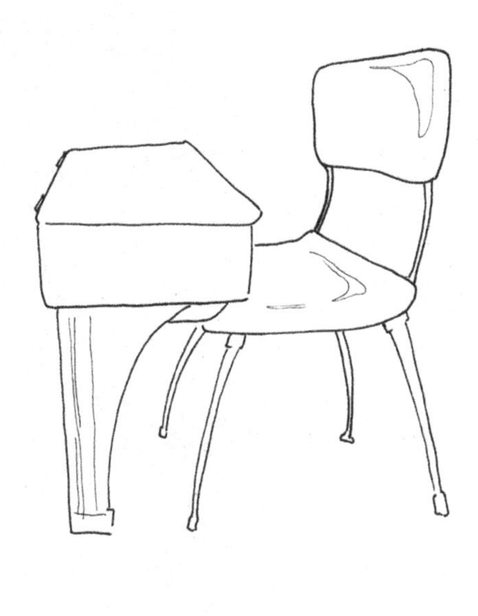

Newton estaba feliz que el peleando había acabado. Le gustaban las cosas tranquilas.

El juez había hecho una regla especial acerca de no beber alcohol alrededor de los niños.

Durante mucho tiempo, su padre no bebía cuando estaba con ellos. Pero el domingo, en el patio trasero durante la barbacoa, vio a su padre tomando el alcohol.

Newton no quería avergonzarlo en la fiesta. Entonces, el día siguiente les escribió una nota a sus padres sobre las reglas. Tenía miedo de que se enojarían con él, pero él no quería perder en el tiempo con su papá.

"Gracias por la nota Newt", dijo su papá. Parecía un poco molestado, pero su voz era agradable. "Me comprometo a hacer mejor. Yo siempre quiero saber cómo te sientes".

Newton le dio un abrazo y se sintió mejor.

♥ Los jueces no siempre hacen las reglas especiales. El juez hizo una regla especial para el caballero.

♥ ¿El juez hizo alguna regla especial para seguir tus padres?

sí no

- el lugar donde tus padres se reúnen para recogerte,
- no beber o usar drogas alrededor de los niños,
- no dar nalgadas,
- tener a alguien más con ellos cuando te visita,
- o para no decir cosas malas sobre el otro padre.

♥ ¿Qué harías si tus padres desobedecerían las reglas del juez?

Newton le gustaba el calendario de papel en la cocina que mostraba cuando él iba a estar en la casa de cada padre.

Los días morados estaban con su papá, y los días verdes con su mamá. Le gustaba planificar el futuro, especialmente para los días festivos.

Le gustaba celebrar cada día festivo dos veces, ¡incluso su cumpleaños!

♥ Newton le gustaba revisar el calendario y ver dónde estaría cada fin de semana.

♥ ¿Hay un calendario que puedes ver para saber cuándo vas a estar con cada uno de tus padres?

♥ ¿Dónde te gustaría poner el calendario?

Arletta

Arletta hizo una cama para Gatito el Gato en la casa de su papá. Ella tenía un nuevo delfín en la casa de su madre. Ella hizo dibujos de aventuras con sus dos mascotas.

Colocó algunas luces brillantes en el agua para las celebraciones de las mareas bajo el agua. Ella recogió las uvas y manzanas en la montaña para los festivales de la cosecha. Le gustaba tener su cumpleaños en cada casa.

♥ Los días festivos pueden ser diferentes en cada casa. Arletta descubrió que le gustaba celebrar en cada una de las casas de sus padres. ¿Cómo se celebran los días festivos de manera diferente ahora que tus padres se divorciaron?

♥ ¿Cómo te celebras tu cumpleaños ahora?

“Buenas noches, Mamá. Te extraño, también”, dijo Arletta a la portatda. “Te envio un text mañana”.

Cuando extrañaba a un padre, ella hizo tarjetas y dibujos para el padre que le extrañó. Cada padre llamó para decir “buenas noches” cuando estaba en la casa del otro.

Una noche, cuando su papá llamó para decir, “buenas noches” Arletta lloró porque le echaba de menos.

“Está bien para estar triste”, dijo el caballero. “A veces lloro también. Poco a poco eso se pasa”.

“¿Te sientes mejor después de llorar”? preguntó.

“Sí. Esa es una manera de cambiar como me siento. También voy al gimnasio y miro la televisión”, dijo su papá.

“Me siento mejor ahora”, dijo. “Gracias por hablar conmigo”.

“Buenas noches, mi amor”, dijo su papá. “Yo siempre te querré. No importa lo que pasa”.

♥ Arletta sabía que ella siempre sería querido, no importa lo que pasa.

♥ Haz un dibujo de ser querido por ambos padres, aunque están divorciados.

Constancia, Newton, Arletta y Espartaco tienen sus propios sentimientos sobre el divorcio de sus padres. Y cada uno descubrió diferentes maneras de mantener sus sentimientos. Cada uno de ellos les gustaban cosas diferentes en cada nuevo hogar.

Pero lo mejor de todo, se pueden decir, "mis padres todavía me quieren, aunque se divorcian".

EL FIN

Sobre la autora

La doctora Lois V. Nightingale, es una psicóloga clínica licenciada, y una terapeuta licenciada del matrimonio, los niños y la familia en Yorba Linda California. Ella ha estado ayudando a las personas y las familias por más de treinta años.

Ella es una locutora reconocida a nivel nacional y una escritora premiada. Ha hecho muchas apariciones profesionales en la televisión local, nacional e internacional para ayudar a educar a los padres y para enseñar una mejor comunicación entre las familias.

Como madre soltera divorciada con dos hijos, se da cuenta de la importancia de una historia a que los niños se pueden relacionar. Una historia que también enseña los mecanismos de afrontamiento y mejores formas de manejar la confusión de divorcio provee a los niños la oportunidad de expresar sus propios sentimientos.

Es su objetivo ayudar a las familias a encontrar los recursos para ayudarles durante los cambios. Ella cree que cuando los niños reciben apoyo, aliento y un lugar seguro para expresar sus sentimientos en tiempos de cambio y pérdida, muchos de los efectos negativos a largo plazo de estos trastornos de la infancia se puedan evitar. Los niños pueden aprender que son queridos y fuertes. Ella se siente que los padres tienen la responsabilidad de modelar para sus hijos (a pesar de la adversidad y el cambio) que siempre hay oportunidades para convertirse en personas más afectuosas, compasivos y seguros de sí mismos. Puede seguir a la Dra. Nightingale en Twitter @Drdrloisn.

Published by:

Nightingale Rose Publications
16960 East Bastanchury Road, Suite J
Yorba Linda, California 92886

Made in the USA
Las Vegas, NV
26 January 2022